JULIAN TUWIM

WIERSZE DLA DZIECI

Ilustracje – Przemysław Sałamacha
Projekt graficzny – Anna Cięciel-Łukaszewska
Opracowanie komputerowe projektu – Monika Miller
Text © Fundacja „Pomoc Społeczna SOS" z siedzibą w Warszawie
Copyright for this edition © Podsiedlik-Raniowski i Spółka, MCMXCV
Illustrations, graphic, design © Podsiedlik-Raniowski i Spółka, MCMXCV
All rights reserved
ISBN 83-7083-415-9
Biuro: 60-171 Poznań, ul. Żmigrodzka 41/49
tel. (0-61) 67-95-46, fax 67-95-35

JULIAN TUWIM

WIERSZE DLA DZIECI

ilustrował Przemysław Sałamacha

PODSIEDLIK RANIOWSKI I SPÓŁKA

Książki szczęśliwego dzieciństwa

SPÓŹNIONY SŁOWIK

Płacze pani Słowikowa w gniazdku na akacji,
Bo pan Słowik przed dziewiątą miał być na kolacji.
Tak się godzin wyznaczonych pilnie zawsze trzyma,
A tu już po jedenastej – i Słowika nie ma!

Wszystko stygnie! Zupka z muszek na wieczornej rosie,
Sześć komarów nadziewanych w konwaliowym sosie,
Motyl z rożna, przyprawiany gęstym cieniem z lasku,
A na deser – tort z wietrzyka w księżycowym blasku.

Może mu się co zdarzyło? Może go napadli?
Szare piórka oskubali, srebrny głosik skradli?
To przez zazdrość! To skowronek z bandą skowroniątek!
Piórka – głupstwo, bo odrosną, ale głos – majątek!

Nagle zjawia się pan Słowik, poświstuje, skacze...
„Gdzieś ty latał? Gdzieś ty fruwał? Przecież ja tu płaczę!"
A pan Słowik słodko ćwierka: „Wybacz, moje złoto,
Ale wieczór taki piękny, że szedłem piechotą!"

PTASIE PLOTKI

Przyszła gąska do kaczuszki,
Obgadały kurze nóżki.

Do indyczki przyszła kurka,
Obgadały kacze piórka.

Przyszła kaczka do perliczki,
Obgadały dziób indyczki.

Kaczka kaczce wykwakała,
Co gęś o niej nagęgała.

Na to rzekła gęś, że kaczka
Jest złodziejka i pijaczka.

O indyczce zaś pantarka
Powiedziała, że plotkarka.

Teraz bójka wśród podwórka,
Że aż lecą barwne piórka.

Ptasie radio

Halo! halo!
Tutaj ptasie radio w brzozowym gaju,
Nadajemy audycję z ptasiego kraju.
Proszę, niech każdy nastawi aparat,
Bo sfrunęły się ptaszki dla odbycia narad:
Po pierwsze – w sprawie
Co świtem piszczy w trawie?
Po drugie – gdzie się
Ukrywa echo w lesie?
Po trzecie – kto się
Ma pierwszy kąpać w rosie?
Po czwarte – jak
Poznać, kto ptak,
A kto nie ptak?
A po piąte przez dziesiąte
Będą ćwierkać, świstać, kwilić,
Pitpilitać i pimpilić
Ptaszki następujące:

Słowik, wróbel, kos, jaskółka,
Kogut, dzięcioł, gil, kukułka,
Szczygieł, sowa, kruk, czubatka,
Drozd, sikorka i dzierlatka,
Kaczka, gąska, jemiołuszka,
Dudek, trznadel, pośmieciuszka,
Wilga, zięba, bocian, szpak
Oraz każdy inny ptak.

Pierwszy – słowik
Zaczął tak:
„Halo! O, halo lo lo lo lo!
Tu tu tu tu tu tu tu
Radio, radijo, dijo, ijo, ijo
Tijo, trijo, tru lu lu lu lu
Pio pio pijo lo lo lo lo lo
Plo plo plo plo plo halo!"

Na to wróbel zaterlikał:
„Cóż to znowu za muzyka?
Muszę zajrzeć do słownika,
By zrozumieć śpiew słowika.
Ćwir ćwir świrk!
Świr świr ćwirk!
Tu nie teatr
Ani cyrk!
Patrzcie go! Nastroszył piórka!
I wydziera się jak kurka!
Dość tych arii, dość tych liryk!
Ćwir ćwir czyrik,
Czyr czyr ćwirk!"

I tak zaczął ćwirzyć, ćwikać,
Ćwierkać, czyrkać, czykczyrikać,
Że aż kogut na patyku
Zapiał gniewnie: „Kukuryku!"

Jak usłyszy to kukułka,
Wrzaśnie: „A to co za spółka?
Kuku-ryku? Kuku-ryku?
Nie pozwalam rozbójniku!
Bierz, co chcesz, bo ja nie skąpię,
Ale kuku nie ustąpię.
Ryku – choć do jutra skrzecz!
Ale kuku – moja rzecz!"
Zakukała: kuku! kuku!
Na to dzięcioł: stuku! puku!
Czajka woła: czyjaś ty, czyjaś?
Byłaś gdzie? Piłaś co? Piłaś, to wyłaź!
Przepióreczka: chodź tu! pójdź tu!
Masz co? daj mi! rzuć tu! rzuć tu!

I od razu wszystkie ptaki
W szczebiot, w świergot, w zgiełk – o taki:
„Daj tu! Rzuć tu! Co masz? Wiórek?
Piórko? Ziarnko? Korek? Sznurek?
Pójdź tu, rzuć tu! Ja ćwierć i ty ćwierć!
Lepię gniazdko, przylep to, przytwierdź!
Widzisz go! Nie dam ci! Moje! Czyje?
Gniazdko ci wiję, wiję, wiję!
Nie dasz mi? Takiś ty? Wstydź się, wstydź się!"
I wszystkie ptaki zaczęły bić się.

Przyfrunęła ptasia milicja
I tak się skończyła ta leśna audycja.

* * *

Idą gąski, idą białe do domu.
Gubią pióra, gubią białe po polu.
Idą gąski, idą białe po lesie,
A te pióra, białe pióra wiatr niesie.

Lela, lela, gąski moje.
Lela na wodę, na wodę.
Moje gąski popłynęły,
A ja nie mogę, nie mogę.

ROZMOWA PTAKÓW

Kukułeczka kuka,
Dzięcioł w drzewo stuka,
Jaskółeczka śmigła
Ćwierka coś do szczygła.

Szara pliszka kwili:
Ciszej, moi mili,
Boście mi pisklęta
W gniazdku obudzili.

Więc przerwały ptaszki
Leśne swe igraszki.
Pliszka dziatki tuli:
Luli, małe, luli...

Mowa ptaków

Kto z was mowę ptaków zna?
Nikt – i tylko jeden ja.
Chrzęst i szelest, szepty cisz,
W szmerach trzciny cicho śnisz.
Ćwir-ćwir-ćwir i tiju-fit,
A to znaczy: zaraz świt,
Zaraz drgną różowe zorze,
Bo i cóż to znaczyć może?
Cóż, cóż,
Jak nie świat wiosennych zórz?
Ćwir-ćwir-ćwir i tjiu-fit,
Cyt...

Jeszcze nic? A może już?
Mokre listki polnych róż,
Blade krople chłodnych ros,
Wiew, westchnienie, jakiś głos:
„Tiju-tiju-tiju-fit"...
Tak, tak, tak, lecz cicho cyt,
A to znaczy: Cóż, czy wiesz?
Wiem, nie powiem... Ja wiem też,
Tak, to to... Któż wytłumaczy,
Że to coś innego znaczy?
Cóż, cóż?
Czy to, czy to, czy to już?
Kuku, tiju, ćwir i fit,
Cyt – a może to już świt?
Ni to tan, ni nuty ton,
Coś z dalekich, leśnych stron,

Szelest, cisza, szept i szmer,
Czyj to, czyj to, czyj to szmer?
Liście? Trzciny? Trawy? Cóż?
Szum śród ciszy suchych zbóż?
Może tak, a może nie,
Marzę, nucę, słodko śnię,
Ćwir-ćwir-ćwir przez pola leci,
A to znaczy: słońce świeci,
Z gąszczy ptaszek ptaszka zwie,
Tak, to to... A jeśli nie?
Tak, to to... A jeśli tak,
To zrozumie ptaka ptak,
To zrozumiem także ja,
Jaką piosnkę las mi gra:
Że już tiju-tiju-fit,
A to znaczy – że już świt.

PORTRETY

ZOSIA SAMOSIA

Jest taka jedna Zosia,
Nazwano ją Zosia Samosia,
Bo wszystko
„Sama! sama! sama!"
Ważna mi dama!
Wszystko sama lepiej wie,
Wszystko sama robić chce,
Dla niej szkoła, książka, mama
Nic nie znaczą – wszystko sama!
Zjadła wszystkie rozumy,
Więc co jej po rozumie?
Uczyć się nie chce – bo po co,
Gdy sama wszystko umie?
A jak zapytać Zosi:
– Ile jest dwa i dwa?
– Osiem!
– A kto to był Kopernik?
– Król!
– A co nam Śląsk daje?
– Sól!
– A gdzie leży Kraków?
– Nad Wartą!
– A uczyć się warto?
– Nie warto!
Bo ja sama wszystko wiem
I śniadanie sama zjem,
I samochód sama zrobię,
I z wszystkim poradzę sobie!

Kto by się tam uczył, pytał,
Dowiadywał się i czytał,
Kto by sobie głowę łamał,
Kiedy mogę sama, sama!
– Toś ty taka mądra dama?
A kto głupi jest?
– Ja sama!

14

O GRZESIU KŁAMCZUCHU I JEGO CIOCI

– Wrzuciłeś, Grzesiu, list do skrzynki, jak prosiłam?
– List, proszę cioci? List? Wrzuciłem, ciociu miła!
– Nie kłamiesz, Grzesiu? Lepiej przyznaj się, kochanie!
– Jak ciocię kocham, proszę cioci, że nie kłamię!
– Oj, Grzesiu, kłamiesz! Lepiej powiedz po dobroci!
– Ja miałbym kłamać? Niemożliwe, proszę cioci!
– Wuj Leon czeka na ten list, więc daj mi słowo.
– No, słowo daję! I pamiętam szczegółowo:

      List był do wuja Leona,

       A skrzynka była czerwona,

       A koperta... no, taka... tego...

     Nic takiego nadzwyczajnego,

     A na kopercie – nazwisko

      I Łódź... i ta ulica z numerem,

     I pamiętam wszystko:

      Że znaczek był z Belwederem,

     A jak wrzucałem list do skrzynki,

    To przechodził tatuś Halinki,

     I jeden oficer też wrzucał,

     Wysoki – wysoki,

    Taki wysoki, że jak wrzucał, to kucał,

   I jechała taksówka... i powóz...

   I krowę prowadzili... i trąbił autobus,

   I szły jakieś trzy dziewczynki,

  Jak wrzucałem ten list do skrzynki...

Ciocia głową pokiwała,
Otworzyła szeroko oczy ze zdumienia:
– Oj, Grzesiu, Grzesiu!
Przecież ja ci wcale nie dałam
Żadnego listu do wrzucenia!...

 Bambo

Murzynek Bambo w Afryce mieszka,
Czarną ma skórę ten nasz koleżka.

Uczy się pilnie przez całe ranki
Ze swej murzyńskiej pierwszej czytanki.

A gdy do domu ze szkoły wraca,
Psoci, figluje – to jego praca.

Aż mama krzyczy: „Bambo, łobuzie!"
A Bambo czarną nadyma buzię.

Mama powiada: „Napij się mleka",
A on na drzewo mamie ucieka.

Mama powiada: „Chodź do kąpieli",
A on się boi, że się wybieli.

Lecz mama kocha swojego synka,
Bo dobry chłopak z tego Murzynka.

Szkoda, że Bambo czarny, wesoły,
Nie chodzi razem z nami do szkoły.

Gabryś

Był raz głupi Gabryś. A wiecie, co robił?
Kiedy konie żarły, on im owies drobił.

Sitem wodę czerpał, ptaki uczył fruwać,
Poszedł do kowala, kozy chciał podkuwać.

Czapką kwiaty nakrywał, kiedy deszczyk rosił,
Liczył dziury w płocie, drwa do lasu nosił.

Zimą domek z lodu zbudował przed chatą,
„Będę miał – powiada – mieszkanie na lato".

Gdy go słońce piekło, to na słońce dmuchał,
A za topór chwytał, gdy go gryzła mucha.

A tatusia pytał, czy mu księżyc kupi...
Taki był ten Gabryś. A jaki? No, głupi.

P

Był sobie pan Maluśkiewicz,
Najmniejszy na świecie chyba.
Wszystko już poznał i widział
Z wyjątkiem wieloryba.

Pan Maluśkiewicz był – tyci,
Tyciuśki jak ziarnko kawy,
A oprócz tego podróżnik,
A oprócz tego ciekawy.

Więc nie można się dziwić,
Że ujrzeć chciał wieloryba,
Bo wieloryb jest przeogromny,
Największy na świecie chyba.

Pan Maluśkiewicz wesoły,
Że mu się podróż uśmiecha,
Zrobił sobie z początku
Łódkę z łupinki orzecha.

A żeby miękko mu było,
Dno łódki watą posłał,
Potem z jednej zapałki
Wystrugał cztery wiosła.

Zabrał worek z jedzeniem,
Namiot i wina beczkę,
Rower i różne narzędzia –
Wszystko na łódeczkę.

Gramofon, radio, armatę,
Strzelbę, nabojów skrzynkę,
Futro, ubrania, bieliznę –
Wszystko na tę łupinkę.

Bo wszystko było malusie,
Tyciuchne, tyciutenieczkie,
Bo przecież sam Maluśkiewicz
Był tyciuteńkim człowieczkiem.

Wziął łódeczkę pod pachę,
Wsiadł w samolot motyli
I powiedział: – Do Gdyni!
Po godzinie – już byli.

Zameldował się w porcie
U pana kapitana:
– Czy jest miejsce na morzu?
– Wystarczy, proszę pana!

Więc się pan Maluśkiewicz
Zaraz puścił na fale.
Płynie sobie i płynie
Coraz dalej i dalej.

Morze ciche, spokojne
I gładziutkie jak szyba,
Ale jakoś nie widać,
Nie widać wieloryba.

Wiosłuje jednym wiosłem,
Dwoma, trzema, czterema...
Już dwa tygodnie płynie,
A wieloryba nie ma.

Woła: – Cip-cip, wielorybku!
Gdzie ty jesteś rybeńko?
Pokaż mi się choć tylko
Tyciutko, tyciuteńko...

Już dwa miesiące płynie,
A wieloryba nie ma,
Aż się zmęczył biedaczek
I coraz częściej drzemał.

O, z jaką by się rozkoszą
Na lądzie wreszcie wyspał!
Aż któregoś dnia patrzy,
A przed nim jakaś wyspa.

Wziął łódeczkę pod pachę,
Wszedł na wyspę bezludną –
„Odpocznę – myśli – i wrócę!
Jak go nie ma, to trudno”.

Pojeździł sobie na wyspie
Rowerem na wszystkie strony,
Trzy dni był w tej podróży
I wrócił bardzo zmęczony.

Nastawił sobie gramofon,
Popił, potańczył, pośpiewał,
Zabił komara z armaty
I chce spać, bo już ziewał.

Trzeba namiot ustawić,
Zabiera się do dzieła,
Wbija gwoździe do ziemi –
Nagle... wyspa... kichnęła!!!

Kichnęła i tak ryknęła:
– A to znów sprawka czyja?
Jaki to śmiałek gwoździe
W nos wieloryba wbija?!

– Wieloryb?! – (Pan Maluśkiewicz
Tak się na cały głos drze).
– Nie wieloryb, głuptasie,
Lecz jego lewe nozdrze.

Pod wodą jestem, rozumiesz?
Ciesz się, żeś cało uszedł!
– A wyspa? – Jaka znów wyspa?
To mego nosa koniuszek!

Zatrząsł się pan Maluśkiewicz!
– Kto mnie tu znowu łechce?
– Nie łechce, tylko się trzęsę
I już cię widzieć nie chcę!

Wziął łupinkę pod pachę,
Zaraz do morza się rzucił,
Szybko popłynął do Gdyni
I do Warszawy powrócił.

Teraz, gdy kto go zapyta,
Czy widział już wieloryba,
Nosa do góry zadziera
I odpowiada: – No chyba...

RYCERZ KRZYKALSKI

Oto rycerz Krzykalski.
Spójrzcie, co za mina!
Zdarzyło mu się kiedyś
Złapać Tatarzyna.

Krzyczy: „Hura!
To moja odwaga i męstwo!
Wróg w niewoli! Ja górą!
Odniosłem zwycięstwo!

Nieustraszony jestem,
Więc natarłem zbrojnie!
Hura! hura! Jam pierwszy
Śmiałek na tej wojnie.

Któż by się mógł porównać
Z takim bohaterem?
Niech tu sam król przyjedzie
Z największym orderem!

Dla mnie wszystkie zaszczyty!
Dla mnie cześć i chwała!
Złapałem Tatarzyna!
Zdobyłem trzy działa!"

Więc krzyczą mu:
„Przyprowadź tego Tatarzyna!"
A Krzykalski: „Nie mogę
Bo mnie za łeb trzyma!"

SŁOŃ TRĄBALSKI

Był sobie słoń, wielki – jak słoń.
Zwał się ten słoń Tomasz Trąbalski.
Wszystko, co miał, było jak słoń!
Lecz straszny był zapominalski.
Słoniową miał głowę
I nogi słoniowe,
I kły z prawdziwej kości słoniowej,
I trąbę, którą wspaniale kręcił,
Wszystko słoniowe – oprócz pamięci.

Zaprosił kolegów – słoni – na karty
Na wpół do czwartej.
Przychodzą – ryczą: „Dzień dobry, kolego!"
Nikt nie odpowiada.
Nie ma Trąbalskiego.
Zapomniał! Wyszedł!
Miał przyjść do państwa Krokodylów
Na filiżankę wody z Nilu:
Zapomniał! Nie przyszedł!

Ma on chłopczyka i dziewczynkę,
Miłego słonika i śliczną słoninkę.
Bardzo kocha te swoje słonięta,
Ale ich imion nie pamięta.
Synek nazywa się Biały Ząbek,
A ojciec woła: „Trąbek! Bombek!"
Córeczce na imię po prostu Kachna,
A ojciec woła: „Grubachna! Wielgachna!"

Nawet gdy własne imię wymawia,
Gdy się na przykład komuś przedstawia,
Często się myli Tomasz Trąbalski
I mówi: „Jestem Tobiasz Bimbalski".
Żonę ma taką – jakby sześć żon miał!
(Imię jej Bania, ale zapomniał).
No i ta żona kiedyś powiada:
„Idź do doktora, niechaj cię zbada,
Niech cię wyleczy na stare lata!"
Więc zaraz poszedł – do adwokata,
Potem do szewca i do rejenta,
I wszędzie mówi, że nie pamięta!
„Dobrze wiedziałem, lecz zapomniałem,
Może kto z panów wie, czego chciałem?"
Błąka się, krąży, jest coraz później,
Aż do kowala trafił, do kuźni.
Ten chciał go podkuć, więc oprzytomniał,
Przypomniał sobie to, co zapomniał!

Kowal go zbadał, miechem podmuchał,
Zajrzał do gardła, zajrzał do ucha,
Potem opukał młotem kowalskim
I mówi: „Wiem już, panie Trąbalski!
Co dzień na głowę wody kubełek
Oraz na trąbie zrobić supełek".
I chlust go wodą! Sekundę trwało
I w supeł związał trąbę wspaniałą!

Pędem poleciał Tomasz do domu.
Żona w krzyk: „Co to?" – „Nie mów nikomu!
To dla pamięci!" – „O czym?" – „No... chciałem..."
– „Co chciałeś?" – „Nie wiem! Już zapomniałem!"

DYZIO MARZYCIEL

Położył się Dyzio na łące,
Przygląda się niebu błękitnemu
I marzy:
„Jaka szkoda, że te obłoczki płynące
Nie są z waniliowego kremu...
A te różowe –
Że to nie lody malinowe...
A te złociste, pierzaste –
Że to nie stosy ciastek...
I szkoda, że całe niebo
Nie jest z tortu czekoladowego...
Jaki piękny byłby wtedy świat!
Leżałbym sobie, jak leżę,
Na tej murawie świeżej,
Wyciągnąłbym tylko rękę
I jadł... i jadł... i jadł..."

DWA MICHAŁY

Tańcowały dwa Michały,
Jeden duży, drugi mały.
Jak ten duży zaczął krążyć,
To ten mały nie mógł zdążyć.

Jak ten mały nie mógł zdążyć,
To ten duży przestał krążyć.
A jak duży przestał krążyć,
To ten mały mógł już zdążyć.

A jak mały mógł już zdążyć,
Duży znowu zaczął krążyć.
A jak duży zaczął krążyć,
Mały znowu nie mógł zdążyć.

Mały Michał ledwo dychał,
Duży Michał go popychał,
Aż na ziemię popadały
Tańcujące dwa Michały.

KOTEK

Miauczy kotek: miau!
– Coś ty, kotku, miał?
– Miałem ja miseczkę mleczka,
Teraz pusta jest miseczka,
A jeszcze bym chciał.

Wzdycha kotek: o!
– Co ci, kotku, co?
– Śniła mi się wielka rzeka,
Wielka rzeka pełna mleka
Aż po samo dno.

Pisnął kotek: piii...
– Pij, koteczku, pij!
... Skulił ogon, zmrużył ślipie,
Śpi – i we śnie mleczko chlipie,
Bo znów mu się śni.

O PANU TRALALIŃSKIM
(Elżbiecie Wittlinównie)

W Śpiewowicach, pięknym mieście,
Na ulicy Wesolińskiej
Mieszka sobie słynny śpiewak,
Pan Tralisław Tralaliński.
Jego żona – Tralalona,
Jego córka – Tralalurka,
Jego synek – Tralalinek,
Jego piesek – Tralalesek.
No, a kotek? Jest i kotek,
Kotek zwie się Tralalotek.
Oprócz tego jest papużka,
Bardzo śmieszna Tralalużka.

Co dzień rano po śniadaniu
Zbiera się to zacne grono,
By powtórzyć na cześć mistrza
Jego piosnkę ulubioną.

Gdy podniesie pan Tralisław
Swą pałeczkę-tralaleczkę,
Wszyscy milkną, a po chwili
Śpiewa cały chór piosneczkę:

„Trala trala tralalala
Tralalala trala trala!"
Tak to pana Tralisława
Jego świetny chór wychwala.

Wyśpiewują, tralalują,
A sam mistrz batutę ujął
I sam w śpiewie się rozpala:
„Trala trala tralalala!"

I już z kuchni i z garażu
Słychać pieśń o gospodarzu,
Już śpiewają domownicy
I przechodnie na ulicy:

Śpiewa szofer – Tralalofer
I kucharka – Tralalarka,
Pokojówka – Tralalówka,
I gazeciarz – Tralaleciarz,
I sklepikarz – Tralalikarz,
I policjant – Tralalicjant,
I adwokat – Tralalokat,
I pan doktor – Tralaloktor!
Nawet mała myszka,
Szara Tralaliszka,
Choć się boi kotka,
Kotka Tralalotka,
Siadła sobie w kątku,
W ciemnym tralalątku,
I też piszczy cichuteńko:
„Trala-trala-tralaleńko..."

IDZIE GRZEŚ

Idzie Grześ
Przez wieś,
Worek piasku niesie,
A przez dziurkę
Piasek ciurkiem
Sypie się za Grzesiem.

„Piasku mniej –
Nosić lżej!"
Cieszy się głuptasek.
Do dom wrócił,
Worek zrzucił;
Ale gdzie ten piasek?

Wraca Grześ
Przez wieś,
Zbiera piasku ziarnka.
Pomalusku,
Powolusku.
Zebrała się miarka.

Idzie Grześ
Przez wieś,
Worek piasku niesie,
A przez dziurkę
Piasek ciurkiem
Sypie się za Grzesiem...

I tak dalej... i tak dalej...

28

SŁÓWKA I SŁUFKA

Dziś po dyktandzie w szkole
Wrócił Jerzyk do domu markotny.
Ziewał, ziewał – i zdrzemnął się przy stole,
Bo i dzień był jakiś senny i słotny.
I przyszły do Jerzyka trzy słówka:
„Brzózka", „Jabłko" i „Główka".
I powiedziały:
– Jestem Brzózka, nie „bżuska".
– Jestem Jabłko, nie „japko".
– Jestem Główka, nie „głufka".
Jak można tak znieważać urodę naszą i ród?
Trzeba się uczyć! Uważać! Na pewno opłaci się trud.
Nie pomogą tu żadne wykręty, wymówki.
I rzuciły mu na stół swoje wizytówki,
Żeby wiedział, z kim ma do czynienia.
I wyzbył się takich zwyczajów prostackich:
Jabłko z Jabłońskich,
Brzózka z Brzozowskich,
Główka z Głowackich.
– A gdy i nadal będziesz sadził błąd po błędzie,
To zrobimy z Jerzego – Jeżego,
Złego jeża kolczastego;
I co? Przyjemnie ci będzie?

Wystąpiły na Jerzyka siódme poty!
Obudził się – i do roboty!

OKULARY

Biega, krzyczy pan Hilary:
„Gdzie są moje okulary?"

Szuka w spodniach i w surducie,
W prawym bucie, w lewym bucie.

Wszystko w szafach poprzewracał,
Maca szlafrok, palto maca.

„Skandal! – krzyczy. – Nie do wiary!
Ktoś mi ukradł okulary!"

Pod kanapą, na kanapie,
Wszędzie szuka, parska, sapie!

Szpera w piecu i w kominie,
W mysiej dziurze i w pianinie.

Już podłogę chce odrywać,
Już policję zaczął wzywać.

Nagle – zerknął do lusterka...
Nie chce wierzyć... Znowu zerka.

Znalazł! Są! Okazało się,
Że je ma na własnym nosie.

LOKOMOTYWA

Stoi na stacji lokomotywa,
Ciężka, ogromna i pot z niej spływa –
Tłusta oliwa.
Stoi i sapie, dyszy i dmucha,
Żar z rozgrzanego jej brzucha bucha:
Buch – jak gorąco!
Uch – jak gorąco!
Puff – jak gorąco!
Uff – jak gorąco!
Już ledwo sapie, już ledwo zipie,
A jeszcze palacz węgiel w nią sypie.
Wagony do niej podoczepiali
Wielkie i ciężkie, z żelaza, stali,
I pełno ludzi w każdym wagonie,
A w jednym krowy, a w drugim konie,
A w trzecim siedzą same grubasy,
Siedzą i jedzą tłuste kiełbasy.
A czwarty wagon pełen bananów,
A w piątym stoi sześć fortepianów,
W szóstym armata, o! jaka wielka!
Pod każdym kołem żelazna belka!
W siódmym dębowe stoły i szafy,
W ósmym słoń, niedźwiedź i dwie żyrafy,
W dziewiątym – same tuczone świnie,
W dziesiątym – kufry, paki i skrzynie,
A tych wagonów jest ze czterdzieści,
Sam nie wiem, co się w nich jeszcze mieści.

Lecz choćby przyszło tysiąc atletów
I każdy zjadłby tysiąc kotletów,
I każdy nie wiem jak się wytężał,
To nie udźwigną – taki to ciężar!
Nagle – gwizd!
Nagle – świst!
Para – buch!
Koła – w ruch!

Najpierw
    powoli
        jak żółw
            ociężale
Ruszyła
    maszyna
        po szynach
           ospale.
Szarpnęła wagony i ciągnie z mozołem,
I kręci się, kręci się koło za kołem,
I biegu przyspiesza, i gna coraz prędzej,
I dudni, i stuka, łomoce i pędzi.

A dokąd? A dokąd? A dokąd? Na wprost!
Po torze, po torze, po torze, przez most,
Przez góry, przez tunel, przez pola, przez las
I spieszy się, spieszy, by zdążyć na czas,
Do taktu turkoce i puka, i stuka to:
Tak to to, tak to to, tak to to, tak to to,
Gładko tak, lekko tak toczy się w dal,
Jak gdyby to była piłeczka, nie stal,
Nie ciężka maszyna zziajana, zdyszana,
Lecz fraszka, igraszka, zabawka blaszana.

A skądże to, jakże to, czemu tak gna?
A co to to, co to to, kto to tak pcha,
Że pędzi, że wali, że bucha, buch-buch?
To para gorąca wprawiła to w ruch,
To para, co z kotła rurami do tłoków,
A tłoki kołami ruszają z dwóch boków
I gnają, i pchają, i pociąg się toczy,
Bo para te tłoki wciąż tłoczy i tłoczy,
I koła turkocą, i puka, i stuka to:
Tak to to, tak to to, tak to to, tak to to!...

TRUDNY RACHUNEK

Szły raz drogą trzy kaczuszki,
Grzeczne, że aż miło:
Pierwsza biała, druga czarna,
A trzeciej nie było.

Na spotkanie tym kaczuszkom
Dwie znajome wyszły:
Pierwsza z krzaków, druga z sieni,
Trzecia prosto z Wisły.

Aż tu jeszcze jedna idzie
Bardzo wesolutka,
Idzie sobie, podskakuje,
A ta druga – smutna.

Siadły wszystkie na ławeczce,
Wtem dziewiąta krzyczy:
„Pięć nas było, a jest osiem!
Kto nas wreszcie zliczy?"

Na to mówi jej ta trzecia:
„Sprawa bardzo trudna!
Wyszłam pierwsza, przyszłam szósta,
Teraz jestem siódma!"

I nie mogły się doliczyć,
Nic nie wyszło z tego,
Więc do domu, choć to kaczki,
Wróciły gęsiego.

TANIEC

Skoczył stołek do wiaderka,
Zaprosił je do oberka,
Dzbanek z półki – hyc na ziemię:
„Ja nie gorszy! Poproś-że mię!"

A za dzbankiem talerz skoczył,
Dokoluśka się potoczył,
Piec, choć grubas, złapał kija
I ochoczo z nim wywija.

Biedna miotła w kącie stoi,
Też by chciała, lecz się boi,
Bo jak w tańcu się rozluźni,
To ją będą zbierać później.

Tańczy skrzynia i siekiera,
Aż się miotle na płacz zbiera,
Już nie może ustać dłużej
I tak pląsa, aż się kurzy.

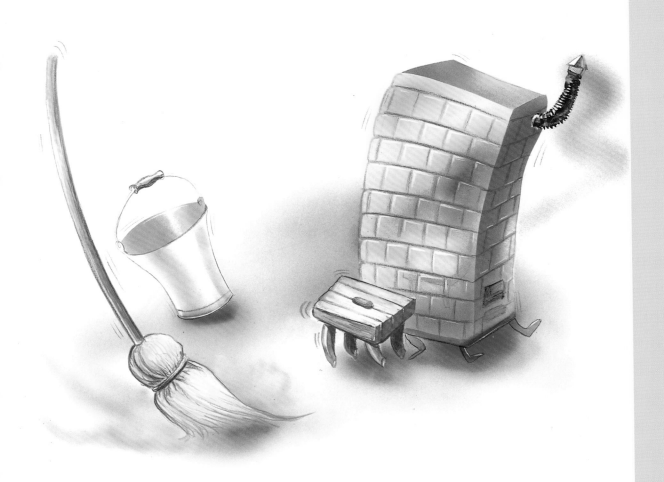

R ZEPKA

Zasadził dziadek rzepkę w ogrodzie,
Chodził tę rzepkę oglądać co dzień,
Wyrosła rzepka jędrna i krzepka,
Schrupać by rzepkę z kawałkiem chlebka!
Więc ciągnie rzepkę dziadek niebożę,
Ciągnie i ciągnie, wyciągnąć nie może!

Zawołał dziadek na pomoc babcię:
„Ja złapię rzepkę, ty za mnie złap się!"
I biedny dziadek z babcią niebogą
Ciągną i ciągną, wyciągnąć nie mogą!
Babcia za dziadka,
Dziadek za rzepkę,
Oj, przydałby się ktoś na przyczepkę!

Przyleciał wnuczek, babci się złapał,
Poci się, stęka, aż się zasapał!
Wnuczek za babcię,
Babcia za dziadka,
Dziadek za rzepkę,
Oj, przydałby się ktoś na przyczepkę!
Pocą się, sapią, stękają srogo,
Ciągną i ciągną, wyciągnąć nie mogą!

Zawołał wnuczek szczeniaczka Mruczka,
Przyleciał Mruczek i ciągnie wnuczka!
Mruczek za wnuczka,
Wnuczek za babcię,
Babcia za dziadka,
Dziadek za rzepkę,
Oj, przydałby się ktoś na przyczepkę!
Pocą się, sapią, stękają srogo,
Ciągną i ciągną, wyciągnąć nie mogą!

Na kurkę czyhał kotek w ukryciu,
Zaszczekał Mruczek: „Pomóż nam, Kiciu!"
Kicia za Mruczka,
Mruczek za wnuczka,
Wnuczek za babcię,
Babcia za dziadka,

Dziadek za rzepkę,
Oj, przydałby się ktoś na przyczepkę!
Pocą się, sapią, stękają srogo,
Ciągną i ciągną, wyciągnąć nie mogą!

Więc woła Kicia kurkę z podwórka,
Wnet przyleciała usłużna kurka.
Kurka za Kicię,
Kicia za Mruczka,
Mruczek za wnuczka,
Wnuczek za babcię,
Babcia za dziadka,
Dziadek za rzepkę,
Oj, przydałby się ktoś na przyczepkę!
Pocą się, sapią, stękają srogo,
Ciągną i ciągną, wyciągnąć nie mogą!

Szła sobie gąska ścieżyną wąską,
Krzyknęła kurka: „Chodź no tu, gąsko!"
Gąska za kurkę,
Kurka za Kicię,
Kicia za Mruczka,
Mruczek za wnuczka,
Wnuczek za babcię,
Babcia za dziadka,
Dziadek za rzepkę,
Oj, przydałby się ktoś na przyczepkę!
Pocą się, sapią, stękają srogo,
Ciągną i ciągną, wyciągnąć nie mogą!

Leciał wysoko bocian-długonos,
„Fruń-że tu, boćku, do nas na pomoc!"
Bociek za gąskę,

Gąska za kurkę,
Kurka za Kicię,
Kicia za Mruczka,
Mruczek za wnuczka,
Wnuczek za babcię,
Babcia za dziadka,
Dziadek za rzepkę,
Oj, przydałby się ktoś na przyczepkę!
Pocą się, sapią, stękają srogo,
Ciągną i ciągną, wyciągnąć nie mogą!

Skakała drogą zielona żabka,
Złapała boćka – rzadka to gratka!
Żabka za boćka,
Bociek za gąskę,
Gąska za kurkę,
Kurka za Kicię,
Kicia za Mruczka,
Mruczek za wnuczka,
Wnuczek za babcię,
Babcia za dziadka,
Dziadek za rzepkę,
A na przyczepkę
Kawka za żabkę,

Bo na tę rzepkę
Też miała chrapkę!

Tak się zawzięli,
Tak się nadęli,
Że nagle rzepkę
Trrrach!! wyciągnęli!
Aż wstyd powiedzieć,
Co było dalej!
Wszyscy na siebie
Poupadali:

Rzepka na dziadka,
Dziadek na babcię,
Babcia na wnuczka,
Wnuczek na Mruczka,
Mruczek na Kicię,
Kicia na kurkę,
Kurka na gąskę,
Gąska na boćka,
Bociek na żabkę,
Żabka na kawkę
I na ostatku
Kawka na trawkę.

STÓŁ

Wyrosło w lesie drzewo potężne,
Twarde, wysmukłe i niebosiężne.

Raz przyszli drwale, drzewo zrąbali,
Bardzo się przy tym naharowali.

Potem je konie na tartak wlokły,
Tak się zziajały, że całe zmokły.

Na tym tartaku warczące piły
Tak drzewo cięły, że się stępiły.

Kupił te szorstkie listwy i deski
Stolarz warszawski, Adam Wiśniewski.

Adam Wiśniewski, nie lada majster,
Wziął piłę, młotek, hebel i klajster.

Mierzył, heblował, kleił, sposobił,
Zbijał, malował, wreszcie stół zrobił.

Tyle to trzeba było mozołu
Dla sporządzenia jednego stołu.

DZIECI W POLU

Idą dzieci ścieżką. Z prawej strony owies,
Z lewej strony łubin, żółty i pachnący,
A na łące, w dali, stadko białych owiec
I chłopczyk i piesek, stada pilnujący.

A nad wszystkim słońce złotym blaskiem świeci,
Promieniami ciepła cały świat przenika:
I tę ścieżkę polną i idące dzieci,
Owies, łubin, owce, pieska i chłopczyka.

Warzywa

Położyła kucharka na stole:
kartofle,
 buraki,
  marchewkę,
   fasolę,
    kapustę,
     pietruszkę,
      selery
       i groch.
Och!

  Zaczęły się kłótnie,
  Kłócą się okrutnie:
  Kto z nich większy,
   A kto mniejszy,
   Kto ładniejszy,
   Kto zgrabniejszy:
   kartofle?
    buraki?
     marchewka?

      fasola?
       kapusta?
        pietruszka?
         selery
          czy groch?
Ach!
Nakrzyczały się, że strach!

Wzięła kucharka –
Nożem ciach!
Pokrajała, posiekała:
kartofle,
 buraki,
  marchewkę,
   fasolę,
    kapustę,
     pietruszkę,
      selery
       i groch...
I do garnka!

CUDA I DZIWY

FIGIELEK

Raz się komar z komarem przekomarzać zaczął,
Mówiąc, że widział raki, co się winkiem raczą.
Cietrzew się zacietrzewił, słysząc takie słowa,
Sęp zasępił się strasznie, osowiała sowa,
Kura dała drapaka, że aż się kurzyło,
Zając zajęczał smętnie, kurczę się skurczyło.
Kozioł fiknął koziołka, słoń się cały słaniał,
Baran się rozindyczył, a indyk zbaraniał.

PSTRYK

Sterczy w ścianie taki pstryczek,
Mały pstryczek-elektryczek,
Jak tym pstryczkiem zrobić pstryk,
To się widno robi w mig.
Bardzo łatwo:
Pstryk – i światło!
Pstryknąć potem jeszcze raz,
Zaraz mrok otacza nas.
A jak pstryknąć trzeci raz –
Znowu dawny świeci blask.
Taką siłę ma tajemną
Ten ukryty w ścianie smyk!
Ciemno – widno –
Widno – ciemno.
Któż to jest ten mały pstryk?
Może świetlik? Może ognik?
Jak tam dostał się i skąd?
To nie ognik. To przewodnik.
Taki drut, a w drucie PRĄD,
Robisz pstryk i włączasz PRĄD!
Elektryczny bystry PRRRĄD!
I stąd światło?
Właśnie stąd!

W AEROPLANIE

Miała babcia kurkę,
Kurkę-złotopiórkę,
Wesołą kokoszkę,
Zwariowaną troszkę.
Kiedyś jej ta kurka
Uciekła z podwórka.
Babcia za nią truchtem drepce,
„Wracaj!" – krzyczy... – „A ja nie chcę!"

A tam zaraz blisko
To było lotnisko,
Kurka się tam zapędziła,
Aeroplan zobaczyła,
A że była dobra skoczka,
Wskoczyła tam nasza kwoczka.
Wtedy babcia – hopla! –
Też na aeroplan.

Jak nie zaczną się szamotać,
Drapać, dziobać, rzucać, miotać,

Szarpać, łapać się za rygle,
To przy skrzydle, to przy śmigle.

Aż przez takie szamotanie
Motor warknął niespodzianie,

Śmigło kręci się jak fryga
I samolot w górę dźwiga.

Kurka w skrzek – babcia w płacz:
„Co się dzieje? Kurko, patrz!"

Kurka w bek, babcia w krzyk,
A on sobie kozła – fik!

Kurka gdacze, babcia płacze,
A on sobie buja, skacze,
Coraz wyżej się unosi,
Chociaż babcia błaga, prosi,

Chociaż kurka motor dziobie,
Kółka drapie, śrubki skrobie,
Aeroplan coraz chyżej,
Coraz śmielej, coraz wyżej!

Na dół popatrzyły,
Dziwy zobaczyły:

Wielkie góry – jak kupki piasku,
Wielkie drzewa – jak krzaczki w lasku,
Rzeki – srebrne wstążeczki,
Łąki – zielone chusteczki,
Domy – klocki drewniane,
Pola – kratki malowane,
Jeziora – jak donice,
Pociągi – jak gąsienice,
Ludzie – jak mrówki,
Krowy – jak boże krówki,

A kurek to nawet nie widać.
Popatrzyły do góry –
Co zobaczyły? Chmury?
Akurat!

Chmury już w dole były
I ziemię zasłoniły.
„Ach babciu – krzyczy kurka –
Na głowie stanął świat!"
Aż tu naraz w środku nieba
Księżyc zjawia się przed niemi,
Że sto razy chyba większy
Niż ten, który widać z ziemi:
Przymrużył jedno ślipie,

A drugim groźnie łypie,
Otworzył usta jak okno.
I byłby samolot połknął,
Ale babcia zeskoczyła
I nagle się obudziła.

Patrzy – porządek wszędzie,
Nic złego się nie dzieje,
Kurka siedzi na grzędzie
I z babci się śmieje.

ABECADŁO

Abecadło z pieca spadło,
O ziemię się hukło,
Rozsypało się po kątach,
Strasznie się potłukło:
I – zgubiło kropeczkę,
H – złamało kładeczkę,
B – zbiło sobie brzuszki,
A – zwichnęło nóżki,
O – jak balon pękło,
    aż się P przelękło,
T – daszek zgubiło,
L – do U wskoczyło,
S – się wyprostowało,
R – prawą nogę złamało,
W – stanęło do góry dnem
    i udaje, że jest M.

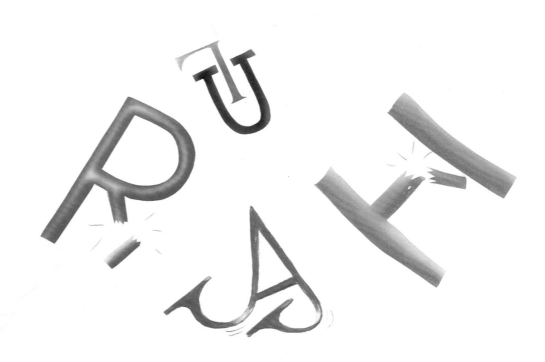

CUDA I DZIWY

Spadł kiedyś w lipcu
Śnieżek niebieski,
Szczekały ptaszki,
Ćwierkały pieski.

Fruwały krówki
Nad modrą łąką,
Śpiewało z nieba
Zielone słonko.

Gniazdka na kwiatach
Wiły motylki,
Trwało to wszystko
Może dwie chwilki.

A zobaczyłem
Ten świat uroczy,
Gdy miałem właśnie
Przymknięte oczy.

Gdym je otworzył,
Wszystko się skryło
I znów na świecie
Jak przedtem było.

Wszystko się pięknie
Dzieje i toczy...
Lecz odtąd – często
Przymykam oczy.

WSZYSCY DLA WSZYSTKICH

Murarz domy buduje,
Krawiec szyje ubrania,
Ale gdzieżby co uszył,
Gdyby nie miał mieszkania?

A i murarz by przecie
Na robotę nie ruszył,
Gdyby krawiec mu spodni
I fartucha nie uszył.

Piekarz musi mieć buty,
Więc do szewca iść trzeba,
No, a gdyby nie piekarz,
Toby szewc nie miał chleba.

Tak dla wspólnej korzyści
I dla dobra wspólnego
Wszyscy muszą pracować,
Mój maleńki kolego.

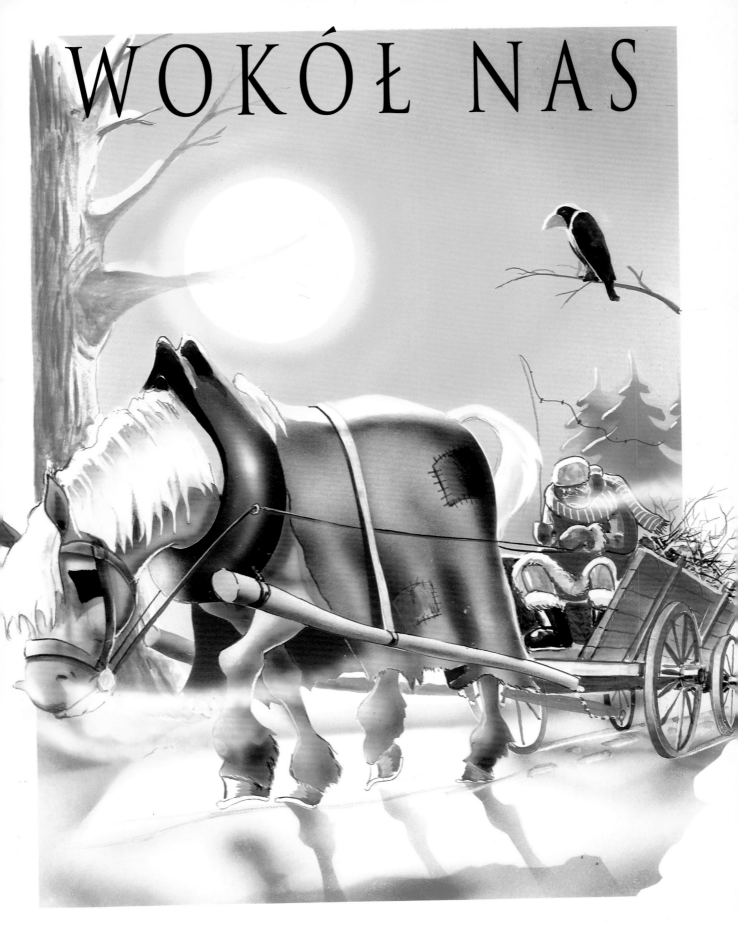

WOKÓŁ NAS

RÓZ

W ostry mróz chłopek wiózł
Z lasu chrust na wozie,
Skrzypi coś, oś nie oś,
Trzaska chrust na mrozie.

Tężał mróz, wicher rósł,
Pędząc jak w sto koni,
Trzeszczy wóz, trzeszczy mróz,
Chłop zębami dzwoni.

Szkapa: brr! chłop jej: prrr! –
A podwozie zgrzyta,
Gwiżdże wiatr, śwista bat,
Stukają kopyta.

Chrzęst i brzęk, zgrzyt i stęk,
Hałas jak w fabryce!
Mniejszy mróz, lżejszy wóz
Przy takiej muzyce.

APUŚNIACZEK

Jak wesoły milion drobnych, wilgotnych muszek,
Jakby z worków szarych mokry, mżący maczek,
Sypie się i skacze dżdżu wodnisty puszek,
Rosny pył jesienny, siwy kapuśniaczek.

Słabe to, maleńkie, ledwo samo kropi,
Nawet w blachy bębnić nie potrafi jeszcze,
Ot, młodziutki deszczyk, fruwające kropki,
Co by strasznie chciały być dorosłym deszczem.

Chciałyby ulewą lunąć w gromkiej burzy,
Miasto siać na ukos chlustającą chłostą,
W rynnach się rozpluskać, rozlać się w kałuży,
Szyby dziobać łzawą i zawiłą ospą...

Tak to sobie marzy kapanina biedna,
Sił ostatkiem pusząc się w ostatnim deszczu...
Lecz cóż? Spójrz: na drucie jeździ kropla jedna,
Już ją wróbel strząsnął. Już po całym deszczu.

RZECZKA

Płynie, wije się rzeczka,
Jak błyszcząca wstążeczka.
Tu się srebrzy, tam ginie,
A tam znowu wypłynie.

Woda w rzeczce przejrzysta,
Zimna, bystra i czysta,
Biegnąc mruczy i szumi,
Ale kto ją zrozumie?

Tylko kamień i ryba
Znają mowę tę chyba,
Ale one, jak wiecie,
Znane milczki na świecie.

WIECZÓR ZIMOWY W MIEŚCIE

Barwne litery na domach płoną,
Tutaj czerwono, a tam zielono,
Auta błyskają, wystawy świecą
I śnieżne płatki jak iskry lecą.

Miasto się mieni blaskami pstremi,
Aż księżyc srebrny zazdrości ziemi,
Że taka jasna i kolorowa,
I zagniewany w chmurach się chowa.

WARSZAWA

Jaka wielka jest Warszawa!
Ile domów, ile ludzi!
Ile dumy i radości
W sercach nam stolica budzi!

Ile ulic, szkół, ogrodów,
Placów, sklepów, ruchu, gwaru,
Kin, teatrów, samochodów
I spacerów, i obszaru!

Aż się stara Wisła cieszy,
Że stolica tak urosła,
Bo pamięta ją maleńką,
A dziś taka jest dorosła.

DOBRE RADY

SKAKANKA

„Żeby kózka nie skakała,
Toby nóżki nie złamała".
Prawda!

Ale gdyby nie skakała,
Toby smutne życie miała.
Prawda?

Bo figlować – bardzo miło.
A bez tego – toby było
Nudno...

Chociaż teraz musi płakać,
Potem będzie znowu skakać!
Trudno!

Więc gdy cię dorośli straszą,
Że tak będzie jak z tą naszą
Kozą,
Najpierw grzecznie ich wysłuchaj,
Potem powiedz im do ucha
Prozą:
„A ja znam może dwadzieścia innych kózek,
co od rana do wieczora skakały i zdrowe są,
i wesołe, i nic im się nie stało, i dalej skaczą!
Grunt, żeby się nie bać! Tak skakać, żeby nic się nie stało!
Bo inaczej, co by za życie było? Prawda?"
I skacz, ile ci się podoba. Niech dorośli zobaczą, jak się to robi!

Raz – dwa – trzy

Raz!
Pierwsza rzecz – to wstawać rano!
Dwa!
Kto o krzepkie zdrowie dba,
Ten się długo myje co dzień
Mydłem, szczotką, w zimnej wodzie,
Pluska, pryska, parska, rży!
Trzy!
Trzyj ręcznikiem suche ciało,
Żeby aż poczerwieniało.
Spraw mu, bracie, mocne wciery,
Aż we krwi poczujesz skry!
Raz – dwa – trzy!

Cztery!
Gdy chcesz czerstwej nabrać cery,
Żywym, bystrym być jak rtęć,
Wiedz, że sprawią to spacery!
A codziennie rano:
Pięć!
Musisz się gimnastykować!
Ciało w ruch rytmiczny wprowadź,
Ćwicz je prężnie i miarowo,
Bo to pięknie, bo to zdrowo.
A dopiero potem:
Sześć!
Jeść!

LIST DO DZIECI

Drogie dzieci! W tym liściku
O jedno was proszę:
Żebyście się co dzień myły,
Bo brudnych nie znoszę.

Czy pod studnią, czy na misce,
W rzece czy w sadzawce,
Ale myć się! Bo przyjadę
I sam wszystko sprawdzę!

Myć się, dzieci, myć do czysta,
Chłopcy i dziewczynki,
Bo inaczej powiem, żeście
Nie dzieci, lecz świnki!

Trzeć się mydłem, gąbką, szczotką,
W misce, w nurtach rzeczki!
Bądźcie czyste!
Z poważaniem
Autor tej książeczki.

SPIS TREŚCI: